AMAR EM TEMPOS DE CRISE

# DIMAS NOVAIS

# AMAR EM TEMPOS DE CRISE

Reflexões sobre o cotidiano
da vida matrimonial

DIREÇÃO EDITORIAL:
Pe. Fábio Evaristo Resende Silva, C.Ss.R.

CONSELHO EDITORIAL:
Avelino Grassi
Ferdinando Mancilio
Marlos Aurélio
Mauro Vilela
Victor Hugo Lapenta

COORDENAÇÃO EDITORIAL:
Ana Lúcia de Castro Leite

COPIDESQUE:
Luana Galvão

REVISÃO:
Cristina Nunes

DIAGRAMAÇÃO:
Marcelo Tsutomu Inomata

CAPA:
Bruno Olivoto

**Dados Internacionais de Catalogação na Publicação (CIP)**
**(Câmara Brasileira do Livro, SP, Brasil)**

Novais, Dimas
    Amar em tempos de crise: reflexões sobre o cotidiano da vida matrimonial / Dimas Novais. – Aparecida, SP: Editora Santuário, 2016.

    ISBN 978-85-369-0435-1

    1. Amor – Aspectos religiosos – Cristianismo 2. Casais – Relações interpessoais 3. Casamento – Aspectos religiosos – Cristianismo 4. Família – Aspectos religiosos – Cristianismo 5. Sacramentos – Igreja Católica I. Título.

16-02804                                                              CDD-248.844

**Índices para catálogo sistemático:**
1. Casais: Reflexões sobre o sacramento
do matrimônio: Vida cristã 248.844

1ª impressão

Todos os direitos reservados à **EDITORA SANTUÁRIO** – 2016

Composição, CTcP, impressão e acabamento:
**Editora Santuário** - Rua Pe. Claro Monteiro, 342
12570-000 – Aparecida-SP – Tel. (12) 3104-2000

# AGRADECIMENTO E OFERECIMENTO

........................................

Agradeço a todos que me ajudam a não desistir nunca e a crer sempre no Poder do Amor. Ofereço esta obra a todos aqueles que, já cansados, estão pensando em desistir. A estes digo: calma, aguentem mais um pouco, invistam mais um pouco e esperem em Deus o resultado. De maneira toda especial ofereço a minha esposa Arai e a meu filho Luigi, a família que o Senhor me deu.

# ACCADEMENTO
& ONEREFOENTO

# PARA COMEÇAR A CONVERSA

Senti em meu coração a necessidade de escrever sobre o matrimônio, sacramento de bênção e de manifestação do amor de Deus pelos homens. Nunca a família foi tão ameaçada e os valores do casamento tão ridicularizados. Há movimentos internacionais com objetivos específicos de desestruturar a linhagem familiar, pois sabem que ao destruir a família estão a um passo de implantar na sociedade um modelo de comportamento humano bizarro, longe dos ideais cristãos de santidade e perfeição.

Ao longo das páginas deste livro, vou narrando histórias vivenciadas ou ouvidas por mim, em meu cotidiano, e não tenho dúvidas de que você irá se encontrar em uma delas. É aqui que entra a Terapia de Casais. Espero que esta leitura o ajude a refletir mais sobre o valor do sacramento do matrimônio, da constituição da família e, principalmente, faça-o pensar uma, duas, três vezes antes de tomar decisões que poderão destruir um lar abençoado por Deus.

Problemas todo casamento tem, solução, também! O importante é construir a casa na rocha, e a rocha é nossa fé em Cristo Jesus. Casas construídas sobre a areia do consumismo ou do amor romântico podem até chamar atenção no começo, mas certamente não suportarão as tempestades da vida.

Amar é uma decisão e amar em tempos de crise é uma escolha que fazemos conscientemente. Casar-se e continuar casado, investindo em uma relação, também é uma decisão. E essa decisão está em nossas mãos. Que Deus encontre lugar em nosso lar e estabeleça sua graça, porque "onde dois ou mais se reúnem em seu nome, ali Ele se faz presente".

Boa leitura e lembre-se: lutar sempre e desistir jamais.

# 1.
## BASTA O AMOR? QUE AMOR?

O amor é essencial para que um casamento dê certo, mas há uma verdade indelicada e nada romântica: não basta somente o amor. Casar apaixonado ou acreditar que "de amor se vive" é como esconder por debaixo do tapete as sujeiras que se encontram no chão. O amor é lindo, maravilhoso, essencial, mas ele sozinho não garante o sucesso de um matrimônio. Além do amor, é preciso mais.

Nada vale o amor sem a compreensão, sem a confiança, sem o respeito, sem o trabalho, sem a cumplicidade. É triste, mas fomos enganados a vida toda pelo "amor romântico dos poetas", que possui em si mesmo força para superar todas as dificuldades; e, no fim, ouve-se aquela belíssima frase: "e foram felizes para sempre".

Engana-se quem pensa que é possível construir alguma coisa no casamento sem a presença do verdadeiro amor, contudo engana-se mais ainda aquele que pensa ser o amor-romântico o único ingrediente necessário para se conquistar a felicidade a dois.

O amor não é simplesmente um sentimento. É mais que isso! O verdadeiro amor suporta tudo, desde que acompanhado de doação, de sacrifício, de entrega. Por isso, afirmo, sem medo de errar: "amor não é sentimento, é decisão". Eu contraio matrimônio com outra pessoa por decisão e, por amor, decido viver com ela "na alegria e na tristeza, na saúde e na doença, na riqueza e na pobreza", "amando-a e respeitando-a por todos os dias de minha vida". Não se iludam com *Shakespeare ou Vinicius de Moraes* e lembrem-se: o amor nunca está sozinho, pois sozinho é incapaz de frutificar.

# 2.
# POR QUE TODO CASAL BRIGA?

Isabela tinha um namorado. Amava-o intensamente. Veio o noivado em clima de festa natalina e em poucos momentos o matrimônio. Pedro era impulsivo, Isabela, "de nariz arrebitado". Mas os dois se amavam. A lua de mel foi dos sonhos, e juras de amor eterno eram uma constante na vida dos "dois pombinhos".

Veio a primeira discussão e Isabela disse que seus pais nunca gritaram com ela. Veio a segunda briga e Pedro disse que sua mãe o tratava sempre como "o homem da casa", e isso significava respeito. Depois das brigas, os pedidos de perdão, os abraços, os beijos, as juras de amor.

Passados três, quatro dias, novas discussões, até que Pedro não aguentou mais e foi desabafar com um amigo, que esteve casado há sessenta anos. Seu Antônio estava agora com noventa e dois anos e era viúvo. Depois de falar muito, Pedro parou para ouvir. Seu Antônio então deu uma aula de como viver a dois por tanto tempo: "Sabe Pedro, eu também brigava com Maria. É, todo casal briga; mas o segredo para ficarmos juntos 'até que a morte nos separou' foi a paciência e o desejo de querer recomeçar sempre. Todos os dias eu tomava uma nova decisão de amar ainda mais minha esposa. Daí as brigas perdiam a força e o amor falava mais alto em forma de perdão. Portanto, Pedro, você tem duas opções: continuar brigando e desfazer seu matrimônio ou perdoar e tomar a decisão de viver amando sua esposa, mesmo sabendo que amanhã poderá haver uma nova discussão. Foi assim que vivi sessenta anos ao lado de Maria: brigando, perdoando, recomeçando".

Casamento é isso: um eterno recomeçar, um eterno decidir-se pelo outro. Dá para pensar um pouco mais em sua relação?

# 3.
# E QUEM DISSE QUE CIÚME É SINÔNIMO DE AMOR?

Quando Carlos viu Luciana, seu coração disparou. Passou por ela, olhou disfarçadamente e sentiu o perfume de seus cabelos. Não, não poderia ser acaso do destino. Ainda naquela noite ele teria de falar com "aquela fada". E, em uma noite de verão, Carlos a tomou como sua nova namorada.

Parecia um sonho. O primeiro beijo fez chuvas de estrelas iluminarem o céu. Logo no segundo dia, Carlos foi acordado com o telefonema de Luciana. Pulou da cama e, com um sorriso "d'outro mundo", atendeu-o e chamou-a de "meu amor": "Bom dia, meu amor, dormiu bem?"

Do outro lado, Luciana retribuía. Foi neste clima que marcaram o programa de domingo. Foram almoçar na casa de alguns amigos de Luciana. Assim que chegaram, Carlos se enturmou, e Luciana, sempre sorridente, ficou à vontade entre tantos companheiros de infância e juventude. Enquanto Luciana conversava com um ou outro, Carlos estava sempre a seu lado. Até que a fúria apareceu. A causa? Um simples beijo no rosto e um afago no cabelo do amigo mais querido de Luciana.

Carlos não suportou a cena e agrediu verbalmente o até então "seu novo amigo". O fato passou, alguém colocou panos quentes no ocorrido e, desculpas daqui, desculpas dali, tudo ficou bem. À noite, Carlos e Luciana passeavam pela praça quando Carlos cismou de vez que Luciana cumprimentava a todos que por ela passavam. "Mas são meus amigos", dizia Luciana. "Não quero, pois a partir de hoje você é só minha, princesa", argumentou o ciumento namorado.

* 14 *

O tempo passou, e o ciúme de Carlos aumentava cada vez mais; até que Luciana resolveu acabar com o namoro. E foi aí que as coisas estremeceram de vez. Carlos jurou: "se você não for minha, não será de mais ninguém". E Luciana foi obrigada a ir embora de sua cidade para recomeçar sua vida afetiva.

Como é doloroso uma pessoa julgar ter a posse de outra. O ciúme é o pior inimigo do amor, pois ele mata o que há de rico e precioso em uma relação: a confiança.

Ciúme não é sinal de amor, é sinal de posse, insegurança, carência, medo. O ciúme é separador, violento e deixa cicatrizes profundas em suas vítimas. Ter ciúme não é prova de amor. Prova de amor é confiar que o outro, ou a outra, que está comigo, é digno, ou digna, de minha plena confiança.

# 4.
## AMAR, PERDOAR, RECOMEÇAR

Viver a dois é uma arte. Certa vez ouvi uma mulher dizer que "quer saber como será tratada pelo futuro esposo? Então, veja como ele trata a própria mãe". E há algo de verdadeiro nessa afirmação. Mas é bom a gente refletir sobre dois pontos: primeiro que esposa não é mãe, segundo, que marido não é pai.

Toda convivência é recheada de conflitos, pois se até com os pais brigamos, imagine então com a esposa ou com o esposo que há pouco tempo entrou em nossa história. Mas, se houver amor e este amor for capaz de se expressar em atos concretos de perdão, ah, daí sim, será possível viver o matrimônio em um recomeçar que fará os dois amadurecerem juntos e aprenderem com seus próprios erros.

Casamento é isso: amar, perdoar, recomeçar. Sempre. Todos os dias. E não é diferente para ninguém, a não ser nas novelas e nos filmes.

Viver com mais um é complicado, pior ainda com mais dois, mais três e assim por diante. Onde há mais de um se estabelece o conflito. Adão teve conflitos no paraíso! Imaginemos nós aqui na terra! Mas do conflito é possível aprender lições que nos farão crescer como indivíduos e como casal. Não é possível evitar o conflito, mas dele podem ser tiradas lições que fortalecerão ainda mais os laços sagrados do matrimônio.

A casa, lembrem-se, deve ser construída sobre a rocha. Se estiver sobre a rocha, ela suportará qualquer tribulação. Mas, se a casa tiver sido construída sobre a areia, ah, logo na primeira ou segunda discussão tudo irá "por água abaixo". E o perdão e o recomeçar não existirão. Pensem nisso!

*18*

# 5.
## TRÊS COISAS QUE ODEIO NELE

Quando a filha sai de sua casa e muda-se para seu novo lar para, com um "desconhecido", começar uma nova vida, ela está enfrentando o maior desafio de sua história. Primeiro, que todo ser humano é um desconhecido. Por mais que se namore, faça o noivado e passem-se anos juntinhos, jamais conheceremos o outro como ele realmente é!

Recordo-me de um padre que nos contava que, ao entrevistar um casal que desejava contrair o matrimônio, percebeu certa insegurança nos noivos. Então o padre olhou para Aparecida e perguntou: "Com quem a senhora vai se casar"? "Ora, com o José aqui, seu Padre"! E o padre insistiu: "Com qual José, com o que você pensa ser este homem ou com quem ele é realmente"? Casaram-se e três meses depois veio Aparecida desabafar com o padre. "Não sabia que o José era assim, seu padre. Somente poucos meses de convivência e não suporto muitas coisas em seu comportamento, mas três me irritam de verdade." "Quais, minha filha", questionou-a o padre. "Odeio seu ronco, odeio o jeito de ele comer e odeio quando ele deixa toda roupa suja em cima da cama."

O padre ouviu pacientemente e perguntou à jovem desiludida: "E por acaso antes de se casar você perguntou a ele se ele roncava? Se sabia se portar à mesa? Se era organizado em suas coisas?" "Não", respondeu, soluçando, Aparecida. "Ah, então você cometeu um grande erro", refutou o padre. "Qual erro, padre, me diga e eu consertarei", afirmou a esposa desiludida. "De perguntar à mãe de João se ele roncava, como ele comia e se ele era organizado." E agora? Agora não adiantava mais perguntar, ela descobria por si só que o José de seus sonhos era um homem como qualquer outro. Teria o príncipe virado sapo?

# 6.
## TRÊS COISAS QUE ODEIO NELA

.............................................

Joaquim tinha certeza de que Helena era sua deusa encantada e que com ela queria viver para sempre. Apaixonado foi marcar o casamento e até convidou o prefeito da cidade para ser seu padrinho.

Casados, e ainda em lua de mel, Joaquim parecia triste. Então um velho amigo seu foi perguntar-lhe, com toda a abertura que tinha com ele: "Joaquim, casou-se com uma bela mulher e, ainda em lua de mel, já está triste? O que acontece, meu amigo"? "Eu odeio, odeio, odeio a Helena", respondeu. "Mas, por quê"? "Simples, ela não me deixa mais sair com meus amigos para jogar futebol, não me deixa mais visitar minha mãe e não quer que eu vá ao boteco da esquina, coisa que eu fazia todo domingo de manhã. Eu não casei, eu fui condenado à prisão!"

As coisas, às vezes, acontecem assim: a mulher casa e deseja mandar no marido e tira dele coisas simples que têm grande significado para sua existência. Dessa intolerância feminina, nasce o descontrole e se estabelece a discórdia. Fim de tudo isso? Brigas, separações, por coisas bobas, pequenas. É preciso deixar as pequenas pedras pelo caminho. Se as recolhermos, no fim da caminhada teremos uma pedreira conosco.

# 7.
# NINGUÉM MUDA NINGUÉM

A maior besteira que uma pessoa faz é casar-se com outra acreditando que "depois do casamento ela muda!". Assim ocorreu com Estela. Já na época de namoro percebeu que Luiz era violento e gostava de "uma pinguinha". Falta de aviso não foi. Mamãe, papai, os irmãos e amigos mais chegados avisaram--na: "Estela, Luiz não é homem para você". Mas ela, cega de amor, dizia: "Depois que ele se casar comigo, ele muda, ah se muda, eu o faço mudar!" E não era que Luiz jurava a ela que iria mudar. Sempre depois de uma briga, vinha todo arrependido, pedia mais uma chance e confirmava: "Vou me casar com você e serei um novo homem".

Veio o casamento, e a promessa durou quinze dias. Na primeira vez, Estela relevou e fez Luiz prometer que nunca mais faria aquilo. Na segunda, Estela foi para a casa da mãe. E na terceira? Apanhou de Luiz. A mãe bem que avisou, mas o "amor cega mesmo as pessoas". Quando um indivíduo está "iludido" com outro, não consegue ver seus defeitos e, se os enxerga, pensa que tem o poder de mudá-los.

Pare e pense nesta verdade: ninguém muda ninguém. A tendência de quem faz promessas para depois do casamento é não cumpri-las. O amor, assim como a justiça, não deve ser cego. Deve andar sempre de olhos bem abertos.

# 8.
## CARINHO É BOM, MAS É PRECISO DAR ESPAÇO

Os principais erros no casamento estão relacionados com o sentimento de posse e de poder em relação ao outro. Com a intenção de cuidar e dar carinho, a esposa ou o esposo podem muito bem "sufocar" o outro e tirar dele seu espaço que gera liberdade.

Esse processo começa aos poucos e vai crescendo à medida que um dos companheiros cede à "chantagem emocional" do outro. A mesma coisa acontece com a mãe em relação ao filho. Dominar, estar no controle, vigiar, demonstrar poder e autoridade é situação real que põe fim a qualquer relacionamento.

O melhor caminho é o da liberdade. Quer conhecer quem vive com você? Dê-lhe liberdade, dê-lhe espaço para agir e ele revelará sua alma. Carinhos excessivos são perigosos, porque quase ninguém gosta de "pessoas carrapatas ou chicletes", daquelas que colam e não largam mais. Por trás desse tipo de ação, escondem-se a insegurança e a carência. Portanto, carinho é bom, mas na medida certa, até porque tudo que extrapola a *boa medida* passa a ser perigoso e fatal para um relacionamento saudável.

# 9.
## DINHEIRO NUNCA É DEMAIS, MAS...

Estamos cansados de ouvir que dinheiro não traz felicidade. E pode ser verdade, contudo, na sociedade capitalista e globalizada em que vivemos, em que o consumismo bate a nossa porta e somos por ele engolidos, a falta de dinheiro pode colocar em risco um casamento. Vejam bem: não o dinheiro em si, mas a falta dele para manter a subsistência digna da vida familiar.

Não há pior coisa a acontecer com um pai ou mãe de família que se deparar com o desemprego, com a falta de dinheiro, que vai impossibilitá-lo de comprar o pão, o leite, o doce, pagar as contas no final do mês. Discutir por causa do dinheiro é banal; agora fazer planejamento em função do que se gasta e do que se ganha é sabedoria.

O dinheiro faz mal tanto se *demais* ou de *menos* e, principalmente, quando ele passa a mandar em nossas atitudes. Matrimônio construído na rocha não tem o dinheiro como fim em si mesmo e saberá superar as dificuldades que a falta dele trará; porém "o mal também entra através da porta aberta pelo dinheiro". E dentro do casamento este mal se chama "cobrança".

Há mulheres que cobram demais seus maridos para terem um *status social* maior e há maridos que exigem demais de suas esposas para que se apresentem à sociedade como as atrizes da televisão. Assim sendo, endividam-se e passam a viver um relacionamento de fachada, de espelho. O espelho mostra tudo, menos o interior de uma pessoa. Então, é bom se lembrar de que dinheiro nunca é demais, mas sua falta ou seu endeusamento podem pôr fim a uma aliança que poderia ser "até que a morte os separe".

# 10.
## SEXO, SEXO E...

A questão sexual no casamento é outro fator de importância vital. Após as promessas no altar, o casamento é consumado na prática do ato sexual, que deve ter por objetivo primeiro a geração de filhos e em seguida a proporção de prazer e realização ao ser humano "macho e fêmea".

Mas esse é um terreno perigoso a ser pisado. Temos de considerar aqui dois aspectos: a falta de sexo e o sexo exagerado. Quando há falta de sexo, alguma coisa errada está acontecendo no relacionamento conjugal. A falta de sexo é um parâmetro para o casal medir seus laços afetivos e suas cumplicidades. Agora, o querer sexo em excesso, tanto por parte do homem quanto da mulher, também pode ser termômetro que mede algum tipo de desvio na conduta dos amantes.

Fazer com que a vida afetiva matrimonial gire em torno do sexo apenas e desprezar outras formas de carinho faz com que reduzamos tanto a mulher quanto o homem a objetos de prazer. E sabemos que somos mais do que isso.

Sexo é animal, afeto é humano. Porém, muitas mulheres se sujeitam a manter relação sexual com o marido com a intenção de segurá-lo e impedi-lo de traição. Mas, da mesma forma que filho não segura casamento, sexo não segura marido ou mulher.

No ato sexual matrimonial deve haver respeito e carinho. A medida? Não é possível dizer, mas que cada casal encontre equilíbrio perfeito entre vida sexual e vida afetiva. Sexo, sexo e sexo! Será que não está na hora de o casal pensar um pouquinho mais os valores que estão norteando seu relacionamento?

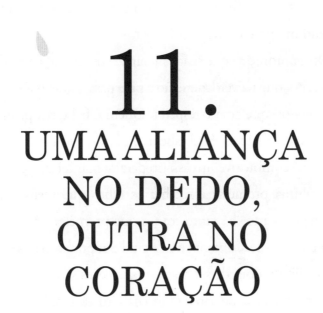

# 11.
## UMA ALIANÇA NO DEDO, OUTRA NO CORAÇÃO

..............................................

No altar, juras de amor e promessas são realizadas. No mínimo três: a primeira tem a ver com a fidelidade, e a aliança é o sinal externo de uma fidelidade que existe dentro do coração de cada um. Ser fiel não é fácil, mas é possível. É uma luta constante tanto por parte da mulher quanto do homem. Essa luta, para ser vencida, deve começar no namoro, passar pelo noivado e concluir-se no dia a dia do matrimônio. Ninguém se julgue forte o suficiente para dizer que consegue. O apóstolo Paulo nos dá uma séria advertência: "quem está de pé, cuide para não cair". Mas e se cair? Que seja por fraqueza humana e que se levante diante do arrependimento e do perdão.

Outra promessa que se faz no altar tem relação com o amor e o respeito, que na verdade serão a base para a fidelidade. Quem é fiel é fiel porque ama e respeita. Quem é fiel é fiel primeiro a seus princípios. Quem é fiel sabe que a luta é constante, mas que o amor é o combustível necessário para se manter de pé.

A última promessa é receber os filhos que Deus mandar. Aqui, neste ponto, há tantos casais que prometem e não cumprem. Eles são fiéis, amam-se e se cuidam, porém não se abrem ao maravilhoso dom de ser mãe ou pai. Vocês sabiam que quem casa com a intenção de não ter filho na verdade tem seu casamento nulo? Portanto, vamos valorizar as três promessas do altar: a aliança da fidelidade e do cuidado afetuoso do outro, a aliança do amor e do respeito e a aliança de se abrir à maternidade e à paternidade. Assim, junto com Deus, seremos responsáveis por "crescer e multiplicar, por encher a terra de bons homens".

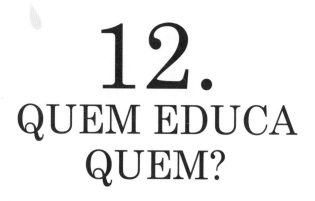

# 12.
## QUEM EDUCA QUEM?

..........................................................

  Quando falamos sobre erros e acertos, desafios e expectativas no matrimônio, não podemos deixar de falar da educação dos filhos. Há pais que sabem educar e há pais que não educam porque também não foram educados: ninguém dá aquilo que não tem!

  O que o casal não pode deixar ocorrer são duas situações que deixam o lar um verdadeiro caos.

Primeiro, é admitir que a criança, os filhos, mandem nos pais, ditem as regras da casa, como a hora de comer ou de dormir. Segundo, que os pais entrem em atrito justamente porque um educa de uma forma e outro de forma diferente, um é mais liberal e outro é mais rígido, um solta a corda, o outro puxa. Isso é intolerável na educação dos filhos.

Necessita-se é do diálogo entre pai e mãe e do estabelecimento de regras únicas de educação. Quando a mãe diz sim, o pai não pode dizer não; quando o pai diz não a mãe não pode dizer sim! Os filhos precisam ver no cotidiano do lar que há comando ali e que os "comandantes" sabem o que estão fazendo. Se os pais erram ao educar os filhos, toda a sociedade será vítima deste erro.

Uma coisa é certa: educação é tudo. E o que significa educar? É dar limites sem tirar a liberdade, é dar responsabilidade sem tirar a "criança que há dentro de cada um". Dessa forma, a missão de educar é da mãe e do pai, e os dois devem educar juntos, sem demonstrar fraquezas ou incoerências e muito menos rivalidade.

Não podemos esquecer que os filhos não são objeto de jogo, assim como uma taça ou um troféu que é dado ao vencedor. Os filhos são seres humanos que necessitam de carinho, afeto e educação.

# 13.
## E OS DOIS SERÃO UM

A matemática do amor não tem lógica. Como pode dois ser um? Somente pela graça do matrimônio isso é possível. Homem e mulher se unem pelos sagrados laços do matrimônio e o que era dois se torna um. Mas cada um continua com sua individualidade, com seus jeitos e trejeitos.

A mulher e o homem tornam-se um na alma, na graça que os santifica, no sacerdócio matrimonial.

Ser um não significa querer que o outro pense como eu penso! De jeito nenhum! Ser um significa olhar na mesma direção, ter os mesmos propósitos e respeitar o jeito de caminhar.

Pensem bem: de repente duas pessoas de educação e formação totalmente diferentes se encontram, amam-se e se casam. Tornam-se um, contudo não perdem suas histórias, seus desejos e seus medos. O marido tem de aprender a respeitar a individualidade da mulher e ela a do marido.

Quando Borges entendeu essa lição era tarde, pois sua mulher já o havia abandonado. Borges não admitia que "sua mulher" pensasse e agisse de modo diferente dele. Os atritos cresceram, e Sueli, não aguentando mais a "pressão", resolveu deixá-lo. Teve fim um casamento que tinha tudo para ter um final feliz, todavia Borges não soube entender a lógica do amor em que dois são um, mesmo sendo dois. Mas aqui está a beleza da graça divina: dois estranhos se encontram e tornam-se uma só alma.

É verdade que marido e mulher não são parentes, pois são mais que parentes, são uma só alma. Entre parentes não acontece essa mágica do amor e da graça divina. Somente entre os que se casam é dada esta dádiva de ser um, mesmo sendo dois. *Êta* matemática de Deus diferente da dos homens!

# 14.
## MEDINDO FORÇAS

..........................................

O começo do fim de todo casal está na medida de forças, quando um quer ser mais que o outro, quando um não cede, não abaixa a cabeça e aproveita para levantar a voz e gritar cada vez mais alto.

Foi assim que Mateus fez com Júlia. Depois de longo período de namoro e noivado, ambos contraíram matrimônio na igreja local. Pareciam felizes e estavam de fato. O problema começou logo na lua de mel. Mateus quis ir embora mais cedo, já estava cansado e pensando em tanto trabalho que havia deixado para trás. Júlia queria ficar mais três dias curtindo a brisa do mar. Pronto: estabeleceu-se o espírito de guerra. Agora era uma questão de tempo para ver quem ganhava a batalha. Mateus se impôs e a lua de mel acabou mais cedo, mas os problemas não.

Em casa, na primeira noite na nova casa, já houve separação. Mateus dormiu no sofá da sala, e Júlia, de "birra", dormiu sozinha. No dia a dia do casal, outras batalhas se travaram, principalmente porque Júlia queria ter filhos rapidamente e Mateus só depois de dois ou três anos de casado. A briga foi tanta, a medida de forças foi tanta, que essa história acabou com Mateus voltando para a casa da mamãe e Júlia para a casa de seus pais.

Os dois mediram forças e os dois perderam. Mais tarde Mateus se casaria de novo e novamente cometeria o mesmo erro com a segunda mulher. É... enquanto Mateus e Júlia não aprenderem a olhar na mesma direção é melhor que cada um fique só.

# 15.
## EU DIGO SIM!

A força e o valor das palavras, um simples "sim" muda toda a vida de uma pessoa. Quando uma pessoa resolve dizer "sim" a outra pessoa, na verdade, está dizendo: "sim, eu aceito viver e partilhar de sua história". E isso é grave e grandioso!

Esse "sim" passa pela aceitação da pessoa com tudo que ela traz de bom ou de ruim. E ela não vem só. Com a mulher, vem toda sua família, toda sua educação, todos seus sonhos e frustrações. Com o homem, vem a possibilidade de realização, de se completar na outra e com a outra o que falta nele. São sonhos que se juntam, projetos que se misturam e duas vidas que passam pela experiência de um "sim".

Às vezes, o "sim" é dito conscientemente, livremente, amorosamente. Às vezes, o "sim" tem peso de "não". Quando alguém diz "sim" ao outro somente para fugir da vida, dos problemas ou dos próprios entes que convivem com ela, então este "sim" não tem valor, não constrói, não cria raízes. É o "não" travestido de "sim". Alguém pode enganar com palavras, mas não com o coração. E o coração sabe quando o "sim" é verdadeiro ou falso. Uma simples palavra, tão curta, tão singular e que muda totalmente o destino de uma, duas ou mais pessoas: *sim!*

# 16.
## DESAFIOS E EXPECTATIVAS

Quando duas pessoas se unem em matrimônio estão transformando suas histórias em desafios e expectativas. Viver a dois não é fácil, tampouco sozinho o é!

Viver já é um desafio, agora imagine partilhar minha vida com outra pessoa, que, até pouco tempo, era desconhecida e que teve a audácia de invadir um coração e roubar um beijo d'alma!

Quando olhos se cruzam, lábios se encontram e mãos se entrelaçam, expectativas estão sendo plantadas, altas apostas estão acontecendo e no jogo da vida a felicidade está na mesa, posta como troféu para aqueles que chegarão ao final como vencedores.

Foi assim que Tonhão, ao fim da existência de sua amada, sentia-se. Depois de quarenta e sete anos juntos, agora a tão indesejada morte tirara dele o que mais o completava. Mas ele foi capaz de avaliar sua parceria e numa única palavra abriu seu coração e soltou seu grito: "eu fui feliz".

Quem dera os casais chegarem aos quarenta, cinquenta anos de vida matrimonial e ainda assim poderem dizer "nós somos felizes!". Na vida matrimonial, a felicidade corre risco de ficar pelo meio do caminho, engolida pelas contas de final de mês, pelas disputas de poder e controle, pelas excessivas preocupações com o futuro. É assim a vida a dois: desafios e expectativas. Dias acertamos e vencemos, dias erramos e... expectativa de começar de novo. O belo em tudo isso é a possibilidade de virar a página, de recomeçar, sempre com novos projetos e novas promessas.

# 17.
## BRIGAS SEMPRE TEREMOS!

Chicão estava triste. Sua esposa não o entendia, não compreendia suas fraquezas e, por isso, decidiu ir-se e abandonar o lar. Chicão não queria muita coisa, só compreensão, afinal já estavam juntos há dezoito anos. Mas Carolina estava resoluta: não dava mais. Por que sofrer se ela poderia ir embora e viver uma vida sem "o fardo do Chicão para carregar"?

É, mas Chicão não via assim seu matrimônio. Sabia que as promessas feitas no altar eram para sempre e deveria lutar por elas. Foi então que criou coragem e numa última tentava falou a Carolina: "amor, briga todo casal tem! Veja por quantas crises já passamos e passamos juntos. Por que abaixar a guarda agora? Vamos lutar e vencer mais esse desafio. Brigas sempre teremos, mas sei que juntos seremos capazes de realizar o que prometemos um ao outro no altar sagrado". Carolina enxugou as lágrimas, não respondeu e decidiu continuar com Chicão. A expectativa havia vencido o desafio!

# 18.
## A CRISE DOS TRÊS, DOS SETE, DOS NOVE ANOS

Dizem que crises matrimoniais têm tempo certo para começar e terminar. Há quem jure ser a crise dos três anos a mais difícil, há quem acredite que a crise dos sete anos é terrível e a de nove anos então, uma vez ultrapassada, *ufa!*, vence-se qualquer coisa.

Mas na verdade as crises não possuem tempo, idade certa para começar ou terminar. O que é fato é que elas existem e sempre existirão e são elas os desafios para o amadurecimento e o crescimento do casal.

A questão é como lidamos com as crises. Se na primeira discussão, na primeira briga, já resolvermos largar tudo e ir embora, então damos a vitória à crise. Mas se persistirmos, logo após a primeira, a segunda, a terceira e assim por diante, vamos ficando fortes e a crise vai perdendo poder sobre nossas vidas.

Qual casal não passa por crise? Qual ser humano não vive suas crises particulares? Agora imagine juntar duas crises! A dele e a dela, o que vai dar? Pode dar muitas coisas, inclusive lição de como viver e ultrapassar obstáculos e barreiras. É sempre mais fácil vencer com alguém nos ajudando, sozinho fica mais difícil a caminhada. Mas é necessário dizer à crise quem está no comando da história, do processo. Podemos até chegar à beira do abismo, mas a possibilidade de voltar e começar de novo está a nosso alcance. Só depende de nós!

# 19.
## PARCEIROS NA ALEGRIA E NA TRISTEZA

O casamento é uma parceria. Dois se unem, em uma "empreitada", para juntos conquistarem a vida. Um deve ser para o outro degrau, corda, máos, apoio. Tudo isso na alegria é uma maravilha. Mas na tristeza, *hum*, não é fácil.

Abel começou a sentir os primeiros efeitos da depressão aos dezenove anos. Casou-se aos vinte e cinco. No começo do casamento, tudo parecia ir muito bem, até a crise depressiva voltar e agora mais forte. Joana não sabia o que fazer. Foi ouvir as amigas e muitas a aconselharam: "largue dele, porque ficar com um homem doente, enquanto você tem a chance de recomeçar com outro". Mas Joana também acreditava nas promessas do altar. Em uma noite, em oração, ela recordou as palavras que dirigiu a Abel, diante de Deus: "Abel, eu te aceito como meu legítimo esposo e prometo amar-te e respeitar-te, na alegria e na tristeza, na saúde e na doença..." Sim, a promessa do altar falou mais alto. Ela abraçou a causa de seu parceiro e começou a travar uma lutar constante contra aquela terrível doença da alma.

Atualmente Abel está muito melhor, embora ainda visite regularmente seu médico. E Joana está satisfeita. Acreditou na parceria, investiu nela e não se arrependeu. Ah, se ela tivesse dado ouvido a suas amigas... Ainda bem que as palavras do altar cravejadas em seu coração falaram mais alto. E ela está feliz, na alegria e na tristeza, e sabe que um dia poderá ser ela quem irá precisar relembrar a Abel as promessas do Altar. E Abel certamente ficará a seu lado.

# 20.
# E NÃO NOS DEIXEIS CAIR EM TENTAÇÃO

Padre Roberto foi bem claro em seu sermão: "filhos, ser tentado não é pecado, pecado é ceder à tentação". Paulão chegou a casa e comentou com a esposa Jacira o que o padre havia dito. E esta foi a deixa para uma conversa franca e longa entre os dois, que já estavam juntos há oito anos.

Jacira quis saber se Paulão já havia caído em tentação, e Paulão aproveitou o momento e fez a mesma pergunta a Jacira. A resposta de ambos foi negativa, mas também juntos confessaram um ao outro que não foi por falta de oportunidades.

Paulão foi bem claro ao dizer que, por diversas vezes, foi tentado, mas resistiu e não cedeu. Jacira, com sua inocência quase angelical, também confessou ao marido que a tentação chegou até ela em um final de semana, mas ao se recordar das promessas do altar disse não à tentação, e ela se foi.

Os dois se abraçaram e estavam conscientes de que a tentação voltaria mais vezes e sem avisar, porém um tinha ao outro como apoio. Durante a semana, Paulão contou ao padre Roberto a conversa que teve com Jacira. Paulão teve outra surpresa. Padre Roberto lhe confidenciou que já havia passado por duras tentações e que, por duas vezes, havia pensado em deixar o sacerdócio. Mas resistiu e estava feliz. A vida é assim: tentação tem para todos e em todos os lugares. Feliz é quem passa por ela e continua capaz de seguir em frente!

# 21.
## JURAS DE AMOR

...........................................................

Nelson estava atrasado. Já eram quase seis horas e as lojas se fechando. A floricultura estava a dez minutos de seu percurso, mas com aquele trânsito... e, justamente hoje, no dia do aniversário de seu casamento, a chuva resolvera deixar as coisas mais difíceis. Mas deu tempo e Nelson chegou a casa com um "buquê de flores brancas, vermelhas e amarelas". Entrou devagarinho, foi até o quarto e encontrou sua esposa se arrumando. Então, entregou-lhe as flores e fez juras de amor.

Sandrinha nem acreditou! "Você se lembrou, Nelson"? E como haveria de esquecer o sexto ano de matrimônio. "E você, se esqueceu"? Não, Sandrinha não havia se esquecido. Abriu a porta do guarda-roupa e lhe deu o presente, uma belíssima gravata.

Os dois juntos sentaram-se na cama e rapidamente fizeram uma oração. Não obstante o presente, Nelson se ajoelhou, pediu perdão por seus erros e, mais uma vez, fez juras de amor eterno. "Eterno enquanto dure"?, brincou Sandrinha. "Eterno, até o paraíso", respondeu Nelson..

Esse é o matrimônio cristão. Sem muito de Hollywood, Machado de Assis ou Vinicius de Moraes, mas bem com o pé no chão. O filho Nelsinho pegou o pai ainda de joelhos e correu a seu encontro. Agora os três juntos sabiam o verdadeiro valor do matrimônio e como uma simples data servia para tantas coisas, inclusive para marcar um novo começo.

# 22.
# ABENÇOE, SENHOR, MINHA FAMÍLIA, AMÉM!

..................................................

A família é o toque especial de Deus na vida do homem, na vida do mundo. Deus quis ter uma família e quis também que o homem fosse capaz de entrar neste mistério e tirar dele as mais belas lições de amor.

O matrimônio tem este jeito de fazer com que Deus tome lugar na mesa dos homens, aliás, se há um lugar onde possa se encontrar verdadeiramente Deus é no seio da família. Deve ser por esse motivo que a família é tão atacada pelos inimigos do Altíssimo. Destruindo-se a família, é destruída toda uma sociedade, pois como atingir os filhos se não atingir primeiro a mãe?

Não há famílias perfeitas, mas há perfeição nas famílias, pois todas elas são queridas e abençoadas por Deus. Pode ser que haja um escorregão aqui, um encontrão ali, uma discussão acolá, mas a família é o berço sagrado que Deus escolheu para repousar suas mãos. O cansaço de Deus é desfeito no seio de um lar.

Conta uma lenda que certa vez o homem foi procurar Deus no céu e não o encontrou. Voltou para casa triste e quando abriu a porta viu Deus entre os seus, abençoando toda sua família.

O céu é isso: Deus vivendo com seus filhos uma linda história de amor, como uma família! Quem não acredita na família também não pode acreditar no céu, pois a única vez que o Senhor ousou deixar o céu foi para se hospedar no seio de uma família humana.

# 23.
## CAMA...

..............................................

Há dois lugares importantíssimos dentro de um lar: a cama e a mesa. A cama é um lugar sagrado, leito imaculado onde os casais descansam, conversam, fazem as pazes e o mais lindo ato de amor. É na cama que os dois se tornam um.

Deve ser por isso que Geraldo gostava tanto de deitar-se com Rafaela, sua esposa, e escutar o borbulhar das chuvas no telhado. Ali os dois, abraçadinhos, lembravam-se do tempo de namoro, das dificuldades que passaram, dos novos projetos e de quantas vezes ali fizeram as pazes, depois de uma discussão um pouco mais acalorada.

É quase impossível não fazer as pazes quando se deita e se dorme junto. Na cama, mesmo sem querer, um toca o outro, sente o cheiro do outro, percebe que não está só, que tem um cúmplice comprometido com sua felicidade. E quem já dormiu no sofá ou em cama separada sabe que não é coisa boa! Nem se dorme. Por quê? Porque casais abençoados por Deus não foram abençoados para dormir separados. Os dois são um e na cama esta unidade se faz presente.

A cama deve ser um lugar limpo, preparado para receber o casal que um dia se comprometeu diante de Deus a receber os filhos que Ele enviar. Por isso cama de motel não foi feita para casal abençoado por Deus. Cama de motel é suja, pois todos ali deitam com um propósito único de usar o outro e não de doar-se carinhosamente debaixo da proteção de Deus. Não é por acaso que o livro sagrado nos diz que o leito deve ser imaculado. Portanto, faça de sua cama um lugar de bênção.

# 24.
## MESA...

A mesa também é um lugar sagrado. Local onde toda família se reúne e faz suas orações e, após, as refeições. É em torno da mesa e da cama que os casais estão sempre unidos e reunidos dentro do lar.

No mínimo, três vezes ao dia, o casal e toda família se reúnem em torno da mesa: café da manhã, almoço e jantar. E ali acontecem as conversas e também as discussões, as bênçãos de Deus sobre a refeição, adquirida com o suor do trabalho humano.

Que nenhum casal deixe a mesa para sentar-se em frente da televisão ou em outro lugar da casa!

Benedito sempre fazia questão de, na hora da refeição, chamar todos para se sentarem à mesa. Então, puxava a oração de agradecimento e sentavam-se. Enquanto se alimentavam, Benedito ia perguntando aos filhos como estavam indo na escola, no trabalho, na vida. Dona Cida adorava quando o Sr. Benedito elogiava sua comida, afinal, ela preparava tudo com tanto amor.

Dona Cida se lembra muito bem de um dia em que discutiu com o marido. Na hora do jantar, todos à mesa, o silêncio no ar, os filhos aguardando a oração do pai. Quando o Sr. Benedito foi começar a oração, a afetuosa esposa disse: "deixa que hoje eu faço a oração". E assim rezou: "Pai, agradeço a Deus esta refeição, meus filhos e meu marido. A você, Dito, eu peço perdão pela discussão de hoje e a Deus eu peço que abençoe nossa família". Seu 'Dito' balançou a cabeça, jantou e, quando foram dormir, na cama, ele também pediu perdão à esposa. Assim, na mesa e na cama os dois fizeram as pazes e Deus se fez presente na vida desta família.

# 25.
## TPM

....................................

Respeitar o ciclo da vida. Essa é uma lição que o ser humano deveria aprender. Por não respeitá-lo, o homem fere a natureza e coloca em risco sua própria existência.

A mulher também tem seus ciclos e chega uma hora inevitável que causa grandes transtornos para o casal: a TPM. A Tensão Pré-Menstrual traz sérios conflitos interiores para a esposa e para toda família. Primeiro, ela mexe com toda estrutura psíquica e hormonal da mulher; segundo, se o marido e os filhos não conhecerem o problema irão achar que a mãe e esposa está ficando "doida".

Carlos não entendia o porquê de Sílvia, todo mês, ficar irritada, chorosa e deprimida. Cansava de perguntar a ela se ele tinha feito alguma coisa de errado, mas Sílvia sempre negava. Carlos começou a desconfiar da própria esposa. O problema só podia ser com ela: "dor na consciência". E assim Carlos e Sílvia travavam, uma vez por mês, uma luta injusta. Mas o interessante é que "de repente" Sílvia voltava a "seu estado normal" e tudo ficava bem entre eles.

Não suportando mais essa situação, Carlos procurou ajuda de um amigo médico e abriu-lhe o coração. Por sorte o médico passava pelo mesmo problema em casa e tranquilizou o amigo: "Carlos, a isso nós chamamos TPM". TPM? Carlos nunca ouviu falar nisso. "Tensão Pré-Menstrual", explicou o médico. É uma época em que a mulher fica muito sensível e ocorrem transformações físicas e psíquicas em seu organismo.

Carlos chegou a casa animado, contou o fato à esposa e ambos procuraram ajuda médica. Atualmente a TPM de Sílvia está bem controlada, e o marido já não desconfia mais da esposa, pois soube a causa de tamanha estranheza mensal.

# 26.
# E A IRRITABILIDADE NO HOMEM?

...............................................

Josana não suportava mais o marido. De manhã bem, à tarde uma fera, à noite um cordeiro. Essa instabilidade emocional fez com que Josana se abrisse com sua mãe: "vou deixar Ricardo". A mãe, com quarenta e cinco anos de experiência matrimonial e fiel às promessas do altar, não aceitou tamanha decisão. Foi conversar com Ricardo e este, queixando-se, afirmou que realmente era tudo verdade, mas que não conseguia controlar tais impulsos.

Dona Gertrudes, bondosa como era, propôs então levar Ricardo ao médico, amigo antigo da família. Ricardo aceitou. Depois de quase uma hora de conversa, Ricardo saiu aliviado do consultório, pois percebeu que seu problema tinha solução.

Mais tarde, quando Josana chegou a casa, lá estava o marido sentado pronto para lhe dar a notícia: "querida, desculpe-me por fazê-la tão infeliz com meu mau humor; visitando o médico descobri que sofro de um transtorno psíquico chamado Transtorno Bipolar do Humor. Vou começar o tratamento hoje, e o médico garantiu que vou ficar bem melhor, mas, neste processo de cura, será fundamental seu apoio e compreensão.

Josana abraçou Ricardo e ambos se perdoaram. Ela garantiu que iria fazer de tudo para ajudá-lo e os dois puderam recomeçar o relacionamento, agora sabendo que um e outro eram vítimas, mas que juntos poderiam superar qualquer problema.

# 27.
## OS AMIGOS DE LUCIANO

Dois meses de casado e Luciano foi reclamar ao Padre Agostinho: "Não dá mais, minha esposa quer impedir que eu saia com meus amigos e não jogue mais a 'pelada de sábado à noite'".

Padre Agostinho, experiente conselheiro de casal, não teve dúvidas, chamou Helena e conversou com ela. "Sabe, padre, é que Luciano prefere os amigos a mim. Sinto-me abandonada por ele todo final de semana. Ele sai, vai jogar seu futebol, depois volta todo suado, sujo e quer me encontrar bem-disposta, sendo que fiquei sozinha em casa curtindo a solidão."

Padre Agostinho teve uma ideia: chamou os dois para juntos sentarem e resolverem o problema. E, com a sabedoria que Deus havia lhe dado, o padre começou logo dizendo a Luciano: "Dois sábados por mês, Luciano, você jogará sua "peladinha"; outros dois sábados, levará Helena para sair, ir a uma lanchonete, alguma coisa assim. E você Helena, deixará de implicar com os amigos de Luciano, afinal eles já eram amigos antes de vocês se casarem. Permitirá que Luciano tenha sua diversão, que por sinal é ótima para que ele se "desestresse". E mais: irá junto assistir ao jogo e torcer por ele.

Resolvido o impasse, Luciano e Helena voltaram a conviver em paz. Quando dava, Helena ia junto, quando possível, Luciano chegava mais cedo a casa. Em finais de semana alternados, ambos saíam para jantar e passar uma noite romântica no clube da cidade. Os amigos de Luciano tornaram-se também amigos de Helena e um deles veio a ser convidado para ser o padrinho de "Vitória", que chegaria daí a quatro meses.

Tudo foi resolvido graças à mediação de um padre sábio e experiente e porque cada um cedeu um pouco de si. Ceder é sair do egoísmo e abrir-se ao outro. Se no casamento não houver isso, há brigas todos os dias, pois ambos começam a medir forças para ver quem ganha a "batalha". É o começo do fim de um relacionamento saudável.

# 28. PEQUENAS COISAS, GRANDES ESTRAGOS

..........................................

Na vida a dois, pequenas coisas podem fazer grandes estragos. A toalha deixada em cima da cama, os sapatos no corredor da casa, a maquiagem em cima da pia, o vaso sanitário aberto, os amigos – e as amigas – do esposo, a carência afetiva da mulher.

Seria tolice de nossa parte ignorar essas pequenas coisas, mas tolice maior seria dar a elas o peso que não têm. Há casais que brigam por pequenas coisas e fazem de um copo d'água uma tempestade! Quantos casais não permitem que essas pequeninas coisas se tornem grandes obstáculos e chegam até a separação por causa da toalha, da pasta de dentes, do vaso sanitário, dos amigos.

É certo que, por trás dessas pequenas coisas, podem estar presentes grandes complicações de ordem interna, como de relacionamento interpessoal e de autoridade. Mas a verdade é que devemos aprender a conviver com a limitação do outro, pois muitas vezes ele traz para o lar o que ele já fazia na casa dos pais.

O melhor caminho é sentar e conversar.

Foi conversando que Raquel resolveu o pequeno, mas grande problema da toalha de banho. Fernando sempre que tomava banho deixava a toalha molhada jogada em cima da cama. Em uma sexta à noite, foi a gota d'água e Raquel soltou o verbo. Fernando também jogou na cara da esposa tudo o que não gostava que ela fizesse.

Depois de breve e calorosa discussão, um quieto para lá, outro quieto para cá, ambos resolveram fazer um acordo. Fernando não deixaria mais a toalha de banho e os chinelos molhados no quarto e Raquel evitaria o que Fernando não gostava. Entretanto, ambos sabiam que as mudanças não viriam da noite para o dia; portanto, deram a si mesmos um prazo: um mês para que os dois mudassem de hábitos. E um mês foi o suficiente. Agora um, carinhosamente, lembra o outro do acordo, e as discussões por pequenas coisas se acabaram.

Essa tática vale também para discussões que acontecem em torno de grandes e reais problemas. Os dois aprenderam juntos a encontrar a solução para um probleminha que estava estragando a convivência dentro do lar. Cá entre nós, deixar que uma toalha molhada seja causa de brigas e separações é algo irracional, vocês não concordam?

# 29.
## PACTO DE PAZ

Flavinho não suportava mais as "ranzinzices" da mulher Franciele. Por sua vez, Franciele estava por explodir com as "criancices" de Flavinho. Até o quarto ano de casamento tudo ia bem, até que, a partir do quinto ano, as coisas ficaram feias, o tempo fechou. Dia após dia, tudo encaminhava para uma separação.

Como Flavinho tinha grande intimidade com seu pai, também separado, abriu-se com ele. "Vou deixar a Fran, meu pai". O pai não queria que o filho cometesse o mesmo erro que há doze anos ele havia cometido. Deixou Gorete por besteira e todos os dias se arrependia de tamanha bobeira.

Então o pai foi aconselhar o filho. Em uma tarde de sábado, foi tomar um café na casa da nora e assim, em torno da mesa, os três puderam conversar: "Como vocês estão, Fran?" Questionou seu João, pai de Flávio. "Vamos indo", suspirou Fran. "Nada disso, pai, eu tomei uma decisão, vou deixar a Fran", replicou Flávio. E antes que uma discussão mais calorosa começasse, seu João interveio. "Sabem, eu vejo em vocês a minha história com Gorete. Por não haver diálogo entre nós, por um não ceder e querer ser mais forte que o outro, por darmos valores a pequenas coisas e não olharmos para nossas alianças, tudo terminou em separação. Hoje estou eu aqui, sozinho e infeliz, e ela lá, sozinha e triste. Não permitam que isso aconteça a vocês, pois sei que mais tarde irão se arrepender, como eu me arrependi."

Depois de muita conversa, seu João disse que estava lendo um livro sobre relacionamento humano dentro do casamento e propôs ao jovem casal que fizessem "um pacto de paz". Flávio segurou a mão de Fran e repetiu as palavras que seu pai lhe dizia: "Fran, a partir de hoje, do que depender de mim, não brigaremos mais. Peço teu perdão e que me ajudes a ser melhor". Fran repetiu a mesma frase e, foi além, confessou-se culpada por muitas brigas. Seu "gênio" era forte e isso gerava discórdia em casa.

Um pacto pela paz. Também não foi da noite para o dia que as coisas melhoraram na casa de Flavinho, mas conseguiram superar mais uma crise e estão juntos até hoje, apostando que serão capazes de ser felizes, um aceitando o outro como é e um ajudando o outro a ser um pouquinho melhor a cada dia. Ah, e seu João? Decidiu conversar com a ex e tentar uma reaproximação. Vamos torcer por Gorete e por seu João?

# 30.
## SÓ POR HOJE VOU TE AMAR

Aprendemos aqui que amor não é sentimento, ao menos, não é *somente sentimento*. O amor romântico, dos filmes, novelas e contos nos enganam, pois não se baseia na realidade, mas sim na ficção.

Amor é decisão, por isso minha esposa estranhou quando, ao fazer uma oração de reconciliação junto dela, assim elevei minha voz a Deus: "Ó Senhor, obrigado pela vida de minha esposa. Hoje volto a tomar a decisão de amá-la e perdoá-la para bem construirmos nossa família". E disse a ela que todos os dias acordaria com este propósito: "só por hoje vou te amar".

É verdade. Dia após dia, iria amá-la, perdoá-la e isso seria uma decisão diária. Às vezes, dizer que vou amar "por toda a vida" fica uma coisa muito pesada, distante, mas se a gente pensar que "toda a nossa vida" se resume em "cada dia que vivemos", então é possível construir um relacionamento "até que a morte nos separe".

Amar é decisão, é doação, é sacrifício, é esperar e acreditar, contra toda esperança e contra toda decepção. Há quem confie demais nos sentimentos. Casam-se apaixonados e seis meses, um ou dois anos depois estão separados, odiando-se, disputando nos tribunais os bens e os filhos.

Não consigo entender como pode alguém jurar amor eterno e depois desejar que o outro "morra" ou partilhar o mesmo leito e depois jurar nunca mais querer vê-lo. Mas o ser humano é assim: imprevisível. Por isso, todos os dias é necessário tomar a decisão de amar, de perdoar, de reconciliar, de recomeçar. Se eu fosse você faria isso também.

Deixe o amor passar no coração e não ficar parado aí. O amor deve transpor as barreiras do sentimento e tornar-se decisão. Foi assim que o Mestre de Nazaré foi capaz de carregar uma cruz e nela morrer. Tenho absoluta certeza de que o único sentimento que o mestre sentia naquele momento era de abandono e dor. Mas Ele havia tomado a decisão de amar a humanidade e por ela dar a vida. E foi essa decisão que fez com que Ele fosse fiel até o fim.

Quem confia demais nos sentimentos acaba sofrendo as armadilhas do coração. O coração é instável, volúvel, carente e, às vezes, careta. Mas, quando transportamos esse sentimento para os atos que conduzem nossas atitudes e fazemos dele "decisão", somos capazes de, mesmo na aridez do deserto, dizer "eu te amo" e assim, dia após dia, tomar a decisão de amar novamente, amar novamente, amar novamente.

"Só por hoje vou te amar" significa que, após cada dia, "para sempre vou te amar", pois essa é minha decisão. As promessas do altar são feitas a partir de "decisão" e não de "sentimentos". "Decisão" é rocha, "sentimento" é areia. E você quer construir seu lar sobre a rocha ou sobre a areia?

# 31.
## PAI, DÊ-ME CARINHO

Há filhos que desejam carros, palácios, aparelhos eletrônicos, viagens. Há filhos que nada desejam a não ser o carinho de seus pais. Este era o caso de Juninho.

Juninho constantemente reclamava para sua professora: "lá em casa, eu tenho de tudo, menos o carinho de meus pais. Meu pai não conversa comigo. Só pensa em trabalho. E quando me dirige a palavra é para fazer cobranças e ameaças. Quando vê que estou triste e aborrecido com sua atitude, ele chega com um presente debaixo do braço ou diz que vai aumentar minha mesada. Ele não percebe que estou necessitado de seu abraço, de seu carinho, do colo de pai".

Foi depois de uma dessas conversas que Dona Maria, professora de Juninho, resolveu chamar seu Josiel. Passados mais de uma hora de diálogo, seu Josiel admitiu sua falha, mas disse que não sabia que seu filho estava infeliz, pois acreditava que, por "ter tudo", tudo estava bem.

Ao chegar a casa, contou mais tarde Juninho a sua querida professora, Josiel chamou o filho, deu-lhe um abraço e disse: "este é meu presente para você hoje". O filho chorou, o pai chorou e feridas foram curadas somente com um abraço. Seu Josiel mudou seu comportamento, e Juninho voltou a ter as melhores notas da escola. Ah, se os pais soubessem que seus filhos bem mais do que palácios querem mesmo é o abraço e o carinho. Não é isso que diz a canção?

# 32. MÃE, CONFIA EM MIM!

Sara estava revoltada. Aos quatorze anos enfrentava mil "grilos" em sua cabecinha e não tinha ninguém com quem se abrir. Em casa, o relacionamento com a mãe era péssimo e com o padrasto então nem se fale.

A vida de Sara se resumia em escola, quarto e computador. Sempre que estava com a mãe e começava a produzir uma "conversinha", tudo se transformava em gritos e confusão. A mãe, Dona Rebeca, era rígida e não deixava a filha chegar tarde da noite ou sair demais de casa. Controlava o jeito de vestir e de ser de "Sarinha". Só que a mãe se esqueceu de que Sarinha estava crescendo como pessoa e como mulher e começava a ter outras necessidades, como de relacionamentos afetivos com outras pessoas, passeios e essas vaidades de mulher moça.

Um dia Sara não aguentou mais e, quando estavam almoçando, desabafou: "Mãe, por que a senhora não confia em mim? Não me deixa fazer nada e parece que eu sempre estou errada! Por quê?" O padrasto tentou argumentar, e Sara quase se levantou da mesa. Foi aí que Dona Rebeca interveio e disse que queria o melhor para sua filha e que os perigos do mundo eram tantos que ela só queria proteger sua "Sarinha" das armadilhas da vida. Talvez, por Rebeca ter sido mãe solteira, não queria o mesmo destino para a filha. Mas Sara não se contentou e arriscou um pedido: "Mãe, eu sei que a senhora me ama e quer o melhor para meu futuro, mas dá para confiar em mim e me dar mais liberdade?"

Passaram-se os dias, e, no jantar de sábado à noite, Dona Rebeca disse à filha: "Estive pensando melhor, vou ser menos rígida com você. Sei que você já não é criança e não vai fazer nada de errado. Seu desejo será realizado: a partir de hoje eu vou confiar mais em você e lhe dar mais liberdade para sair, passear e fazer o que deseja". Sara abraçou a mãe, entrou no quarto e pensou: "nossa, como cresceu minha responsabilidade agora, pois não vou poder decepcionar minha mãe que confia em mim!"

# 33.
## NA SAÚDE E NA DOENÇA

Leonardo era um garotão. Aos vinte e nove anos prestes a se casar curtia os últimos dias de solteiro. Cristiane, sua noiva, era uma moça linda, com uma vida familiar estável e com pais carinhosos e cuidadosos.

Leonardo vinha de pais separados, mas nem por isso possuía falta de educação. Era carinhoso e muito educado e gostava demais de jogar basquete.

O casamento aconteceu no dia e na hora marcados, e a festa foi linda, com direito a um apartamento de presente por parte dos pais de Cris. Os anos se passaram, vieram dois filhos e tudo corria normalmente na vida deste casal; até o momento em que Leo sentiu fortes dores no abdômen que o levaram a ficar internado por quatro dias.

Feitos os exames, veio o diagnóstico: câncer no intestino. A doença evoluiu rapidamente e três meses depois Leo estava magro, na cama e agonizante com as quimioterapias constantes. Cristiane era forte e se mantia ao lado do marido, sempre o estimulando e o motivando a vencer a batalha contra a terrível doença.

Certa vez Cris foi encontrada, chorosa e tristonha, por Sueli, no banheiro do local de trabalho. Foi quando Sueli a aconselhou a sair mais, a viver a vida e não ficar tão "grudada" no marido doente. Em uma sexta à noite, Sueli passou pela casa de Cris e a convidou para sair. Como a mãe de Leo estava com ele, ela resolveu descansar um pouco e tomar "um ar puro".

Na lanchonete, Sueli lhe apresentou um amigo. Todos conversaram, beberam um pouquinho, e Sueli sussurrou no ouvido de Cris: "Paulinho quer sair com você. Aproveite, boba, e se distraia um pouco".

Cris se sentiu mulher de novo, coisa que não acontecia desde a descoberta da doença do marido. Pensou que necessitasse daquilo e que era seu direito, pois estava tão estressada em passar dias e noites ao lado de Leo que podia "sentir-se viva de novo".

Tudo combinado. Paulinho abriu a porta do carro e Cris entrou. Ao fechar a porta, lembrou-se das promessas do altar e logo pensou em Leo. "Não, eu não preciso disso para me sentir mulher." Desceu do carro e se despediu de Paulinho que não entendeu nada. Foi tomar um táxi.

No caminho de volta para casa, recordava o primeiro beijo em Leo, a festa de casamento e a deliciosa lua de mel. Quando abriu a porta de casa e entrou no quarto, encontrou Leonardo dormindo, lutando contra a morte. Sentou-se a seu lado, segurou sua mão e disse bem baixinho, repetindo as palavras do sacerdote: "Leo, eu o amo, na alegria e na tristeza, na saúde e na doença, e prometo sempre lhe ser fiel e respeitá-lo até a morte". Uma paz invadiu seu coração e nunca mais deixou que a tentação entrasse em sua alma.

# 34.
## COISAS DE MULHER

........................................

A vida a dois reserva momentos agradáveis e desagradáveis. O ser humano é complicado e a mulher complexa demais. Tentar entender a cabeça de uma mulher é como procurar a resposta para a existência de Deus. Você sabe que Ele existe, mas não queira entender como!

Lembro-me, como se fosse hoje, de quando um aluno me perguntou: "professor, se Deus criou tudo, quem criou Deus?". Assim é a mulher. Ela é cheia de manias e seu comportamento é diferente do comportamento do homem. No casamento precisamos entender bem isso: homem é homem e mulher é mulher.

Homem e mulher não são iguais. São pessoas diferentes. Quando o homem quer que a mulher pense como ele, aja como ele, viva como ele, estabelece-se o conflito. A mesma coisa ocorre com a mulher.

Verônica vivia chateada, pois, segundo ela, o marido não fazia nada do que ela gostava. Verônica queria que as coisas fossem do jeito dela e Tony que as coisas fossem do jeito dele. Conclusão: discórdia no lar. Até na hora de educar Patrícia, os dois entravam em atrito.

Têm coisas de mulher que só mulher entende, e querer que elas sejam iguais aos homens é tolice. E graças a Deus não são! A beleza da união de duas pessoas está na diferença que completa um e outro. Tony irritava-se profundamente porque não entendia a necessidade de Verônica levar sua bolsa para todo lugar a que iam. Levar bolsa é coisa de mulher. Ali dentro vai "toda a sua vida". E ai do homem que ousar abrir a bolsa de uma mulher e descobrir o que ela leva ali dentro! Em bolsa de mulher não se toca.

# 35.
## COISAS DE HOMEM

..........................................

Homem é bem diferente de mulher. O livro sagrado diz que Deus "homem e mulher os criou", isso significa que são duas pessoas totalmente diferentes.

Homem é razão, mulher é coração; homem não chora, mulher não sente vergonha de derramar suas lágrimas; homem sofre para se declarar, pois seu amor é mais pragmático, mulher adora viver dizendo "eu te amo"; homem gosta de assistir ao jogo na televisão, e a mulher, às vezes, sente-se trocada pelo jogo e briga com o marido por uma coisa tão pequena.

É preciso saber respeitar o espaço do outro, as diferenças entre homem e mulher. Assim como o homem não deve abrir a bolsa da mulher, a mulher não deve desligar a televisão na hora do jogo de futebol.

Márcia vivia brigando com Teixeira por causa disso. É que ela resolvia visitar a mamãe bem na hora do jogo e pedia para Teixeira levá-la. Imagine, estava estabelecido o conflito. Teixeira dizia que depois do jogo a levaria, mas Márcia queria justamente na hora do jogo. Conclusão: Teixeira levava Márcia e voltava a assistir ao jogo e, quando o futebol acabava e ele ia buscá-la, encontrava-a "de bico" porque ele não havia ficado com ela na casa da mamãe.

Era assim que se abria uma porta para tantas discussões bobas que poderiam ser evitadas. Márcia precisava entender que têm coisas de homem que é de homem. Se homem e mulher se respeitam nas diferenças, é possível viver em um lar harmonioso.

# 36.
## FICA

..........................................

Pablo estava decidido: iria se separar. Janete, forte por fora, mas "morrendo" por dentro, não cedia e jogava as roupas de Pablo em cima da cama. Essa era a cena depois de mais uma discussão por causa de uma coisa pequena, que se transformou em ofensas e lavagens de roupas ao vivo e em cores.

Pablo ligou para a mãe e contou o ocorrido; a mãe – *mãe é mãe* – disse ao filho que poderia voltar para sua casa, para seu quarto, para os braços dela.

Com todo esse apoio, Pablo arrumou a mala e se dirigiu para a porta da sala. Foi nesse instante que Janete pediu: "fica". Pablo parou e Janete disse mais uma vez, agora chorando: "por favor, não vá, fica comigo".

A tentação de Pablo era ir embora, mas seu coração tinha que lutar contra essa vontade maligna. Então, Pablo pôs as malas no chão, sentou-se no sofá e chorou como criança. Foi a primeira vez que a esposa viu o marido chorar.

Janete sentou-se a seu lado, disse que havia errado e que ambos tinham que mudar de comportamento e parar de brigar e discutir por coisas tão banais. Pablo concordou, levantou-se, pegou a bolsa e voltou para o quarto. Ali os dois deitaram-se na cama e por um breve instante o silêncio invadiu a casa. Um olhou para o outro, se abraçaram e se perdoaram mutuamente. Neste momento, o telefone tocou, era a mãe de Pablo: "você não virá filho, estou esperando"? "Não mãe, aqui é minha casa e aqui vou continuar e construir minha família". A mãe até que apoiou o filho na decisão e tudo terminou num recomeço.

# 37.
## FESTA DE FINAL DE ANO

Para nós, dezembro é o mês mais esperado e desejado do ano. O natal chega com o verão de dezembro e as cidades se enfeitam de luzes. Há um novo clima no ar: de festa, de solidariedade, de reconciliação. Mas muitas pessoas abusam no comer e no beber e o que era festa acaba em tragédia. E foi isso que quase aconteceu com Ivete e Lauri.

Na passagem de ano, os dois resolveram viajar. Lauri pisava firme no acelerador, pois queria ver a queima de fogos na praia. No banco de trás, Manu e Zezé, os dois filhinhos do casal. Numa imprudência terrível Lauri tentou ultrapassar em faixa contínua e na curva. De encontro veio um caminhão. Houve um pequeno instante para que Ivete gritasse "Nossa Senhora" e a morte lhe saltou aos olhos.

Lauri conseguiu voltar para sua faixa e o caminhão passou tirando um fino. Os dois choraram. Lauri olhou pelo retrovisor e viu Manu dormindo na cadeirinha e Zezé brincando com um joguinho de mão. Os dois não perceberam nada. Ivete também não falou nada. Lauri continuou em silêncio, desacelerou o carro e aprendeu que a vida é frágil e que a família era sua responsabilidade.

Eles perderam o show de fogos na praia, mas preservaram a família unida e prontos estavam para viverem juntos muitos outros natais e passagem de ano.

# 38.
## TRAUMAS QUE ME ACOMPANHAM

Adriana se casou nova, aos dezenove anos. Tiago também era novo, tinha somente vinte e três. Foi tudo muito rápido: três meses de namoro, seis de noivado e casamento. Os dois estavam apaixonados. A lua de mel foi marcada para uma cidade praiana.

Os dois fizeram questão de viajar logo após a festa. À noite no hotel, tudo preparado para a lua de mel que deveria ser inesquecível. Foi quando tudo deu errado. Adriana *"travou"* e não conseguiu concretizar o ato sexual. Tiago ficou frustrado.

O jovem esposo não entendia o porquê, e, por mais que a interrogasse, Adriana não falava nada, apenas chorava. Na próxima noite, novamente o fracasso, e Tiago então, tomado de raiva humana, resolveu sair do hotel e dar umas voltas, dizendo que iria procurar algumas "mulheres da vida" para lhe satisfazer já que sua própria esposa era incapaz disso.

Adriana não dormiu. Às duas da manhã Tiago voltou. Abriu a porta do apartamento e encontrou Adriana chorando. "Então, você se satisfez?", perguntou a esposa. "Tive oportunidade, mas não tive coragem", respondeu Tiago. "Senta aqui", pediu Adriana. E entre lágrimas ela começou a contar sua história de vida. Foi aí que Tiago entendeu o porquê do trauma da esposa. Aos quatro anos de idade, Adriana havia sido molestada por um parente próximo e desde então sua vida sexual travou completamente. Adriana lhe pediu perdão e paciência. Tiago lhe pediu desculpas. E, carinhosamente, os dois, após afetuosos abraços, realizaram o sonho de suas vidas. E os dois se tornaram uma só carne.

# 39.
## GANHOS E PERDAS, FRACASSOS E SUCESSOS

..........................................

A vida é uma escola que nos ensina a ganhar e a perder. Claro que gostaríamos somente de ganhar, mas é impossível ganhar sempre. Uma vez ou outra vamos perder e fracassados vamos lamentar.

Mas isso não é razão para desistir. Continuando a lutar, novas vitórias surgirão e o sucesso entrará em nossas casas.

Por diferentes meios e situações, perdemos coisas valiosas na vida a dois. Perdemos tempo com nossas discussões por pequenas coisas, perdemos paciência por não entender que o outro é diferente e deve assim ser tratado, perdemos a esperança quando um diz que não quer mais e parte para outra, perdemos a fé quando alguém diz: não basta o amor.

Durante toda nossa vida, vamos perdendo coisas pelo caminho. Epa, espera aí, ganhamos também. O segredo está em viver e conviver com as perdas e os ganhos.

Das discussões, ganhamos experiência para amadurecer e deixar de lado "picuinhas" que não levam a lugar nenhum; com as diferenças, ganhamos no valor que o outro tem e que completa o que falta em cada um; com a vontade de abandonar tudo e ir embora, ganhamos mais uma chance de voltar e ficar; com o amor sofrendo a falta de outros ingredientes como o respeito e a compreensão, ganhamos a oportunidade de recomeçar, de fazer diferente o que fazemos igual todos os dias.

Na vida matrimonial ganhar e perder são uma realidade que nos aproxima mais de Deus e do ser amado. Mas temos de estar preparados, pois tanto a vitória quanto a derrota nos marcam profundamente e deixam cicatrizes por toda a vida.

# 40.
# O PADRE EM NOSSA VIDA

A presença do padre na vida do casal começa bem antes do ato no altar. Quase sempre é ele o conselheiro amigo que acompanha o casal de namorados, que está presente abençoando as alianças do noivado e que está no altar testemunhando, em nome de Deus, a união de duas pessoas que desejam ser uma.

* 101 *

Nos momentos de crises no casamento, lá vai o esposo ou a esposa correr até o sacerdote para ser aquela mão amiga que ajuda a passar as tempestades do mar revolto de uma relação a dois.

O padre marca a presença de Deus em nossa vida. Quantos casamentos que estavam por acabar e se renovaram graças a uma boa orientação sacerdotal!

É certo que o padre não se casa, mas isso não o impede de orientar, pois mesmo a mulher que não possui filhos, ou o próprio médico obstetra que não se engravida, pode e deve acompanhar a gestação de uma nova vida. E tem mais: às vezes, quem está "fora do problema" vê saída que quem está no "olho do furacão" não consegue ver. Portanto, sempre que o casal tiver problemas, a melhor opção é procurar a orientação de um bom, santo e sábio sacerdote, de preferência aquele que assistiu ao matrimônio.

Muitos casais em momentos de crise procuram o terapeuta, o psicólogo ou os amigos. Isso também é válido, contudo não procurar o padre é um erro lastimável, pois, quando foram se casar, procuraram-no e por que agora, na hora da crise, não vão até ele pedir bênçãos e orientações para superar os problemas?

# 41.
# O PODER DAS ALIANÇAS

· · · · · · · · · · · · · · · · · · · · · · · · · · · · · · · · · · · · · · · · · · · · · · · · · · · · ·

Pedro, embora casado, não gostava de usar alianças. Na verdade, usou somente no ato do altar. Logo na festa já as retirou, contra a vontade da esposa Clara. Pedro dizia para todo mundo que aliança não segura ninguém e que as usar era insignificante. Já a esposa Clara as usava com imenso carinho e quase sempre recordava seu significado:

* 103 *

as alianças no dedo significam que Pedro pertence a Clara e que Clara pertence a Pedro, pois os dois fizeram um pacto sagrado diante de Deus e, para selar esse pacto, resolveram mostrar a todos um sinal visível deste amor. Esse sinal são as alianças.

Certa vez Pedro estava na festa da empresa quando uma bela mulher se aproximou e se interessou por ele. Conversa vai, conversa vem, e a mulher, atiradinha, convidou Pedro para sair. Pedro disse que não dava, porque era casado. Então a mulher lhe deu uma resposta que marcou sua vida profundamente: "você é casado, mas não é comprometido". "Como não?", respondeu Pedro. E a bela sedutora perguntou: "onde está o sinal de seu comprometimento?" Pedro olhou para os dedos e os viu sem nada, sem nenhum sinal do pacto sagrado que havia feito com Clara.

Chegando a casa, Pedro foi até o quarto, pegou a aliança, beijou-a e a pôs no dedo. Clara ao ver a cena se emocionou. Não sabia o porquê de tal atitude, nem precisava saber. O importante foi que Pedro aprendeu o poder das alianças, que, abençoadas, servem como sinal da presença de Deus na vida do casal.

# 42.
## O MATRIMÔNIO É UM ATO SANTO E SANTIFICADOR

Há quem afirme que o casamento está em "baixa". Mas há os que acreditam na instituição da família e nos laços matrimoniais e sabem que o matrimônio é um ato santo e santificador.

A mulher se santifica e santifica o homem e os filhos por meio do matrimônio. Igualmente o homem se santifica e santifica a mulher e os filhos. Na verdade, o matrimônio é uma vocação, um chamado à santidade, em família.

Há quem queira ser santo como religioso e há os que desejam alcançar a santidade no seio de um lar. No matrimônio, o homem se consagra à mulher e a mulher ao homem e aos filhos. E juntos todos fazem uma aliança, um pacto com Deus para alcançar a coroa da santidade e da vida eterna.

O matrimônio é cheio de simbolismo, mas é único em realidade: ele é santificador. Não é imune a problemas, a quedas, a dificuldades, ao pecado. Mas é todo acolhedor das bênçãos especiais que Deus tem reservado somente àqueles que assumem essa vocação.

Homem e mulher precisam crer que as bênçãos do altar são para ajudá-los a vencer as dificuldades que a própria vida a dois irá impor a eles. O ato matrimonial não é apenas um ato social. É mais que isso. É a união de duas vidas em completa doação e sacrifício em prol da felicidade. E a graça de Deus não há de faltar para um casal que deseja santificar-se no seio de um lar.

# 43.
## SER OU FAZER FELIZ?

"Por que você quer se casar, Ariane?", perguntou o padre. "Para ser feliz." "Então é melhor você pensar mais um pouco", retrucou o sábio sacerdote. "Como? Eu desejo ser feliz ao lado da pessoa que escolhi para viver, o Dado, o senhor o conhece!" "Filha, começou o padre, a gente não casa para ser feliz e sim para fazer o outro feliz, para ser uma bênção na vida da pessoa que Deus colocou em nossa vida. Desejar casar para ser feliz é puro egoísmo e casamento é doação. Saiba que fazendo o outro feliz, você também será feliz, mas não queira fazer de sua felicidade um fim em si mesma, pois senão não irá suportar as dificuldades que a vida a dois traz."

Ariane aprendeu uma bela lição. À noite, quando encontrou Dado, contou o ocorrido, e, para sua surpresa, Dado respondeu que já sabia de tudo isso e estava casando com ela para fazê-la feliz.

O amor romântico de Ariane era egoísta e não permitiu ver em primeiro lugar a felicidade do outro. É aquele tipo de amor que deseja ser feliz de qualquer jeito, por isso corre atrás do primeiro, do segundo, do terceiro marido querendo encontrar a felicidade.

A felicidade não é gratuita, ela passa pelo sacrifício, e o verdadeiro amor não é condicional. Casar para ser feliz pode até ser um propósito, mas o verdadeiro sentido do casamento está em casar para fazer o outro feliz e com ele se realizar e se santificar plenamente, na condição de pessoa e de filhos de Deus.

# 44.
## E A FAMÍLIA, COMO VAI?

Nunca como antes a família foi tão atacada e os valores matrimoniais tão banalizados. A mídia conseguiu ao longo de quarenta, cinquenta anos transformar o matrimônio em um ato puramente social e descartável.

Casais se unem e não buscam o sacramento do matrimônio. Filhos nascem e crescem sem conhecer o valor da aliança matrimonial. Não que as promessas feitas no altar serão garantias de uma vida a dois sem problemas! Não que uma aliança no dedo seja garantia de fidelidade! Não que desejar fazer o outro feliz não traga, às vezes, desânimo e vontade de desistir! Não é isso. Mas que a graça derramada sobre o casal os ajudará a vencer as tribulações do mundo, ah, isso sim ocorrerá.

Você pode me questionar dizendo que conhece casais que nunca se casaram na Igreja e que vivem muito bem. Ótimo! Deixemos que Deus os julgue. Mas, se eles vivem bem, digo-lhe que poderiam viver muito melhor, se acompanhados da bênção sacerdotal, da graça quem vem do altar do Senhor, e se santificarem.

Você também poderá discorrer sobre casais que foram até o altar e se separaram. É verdade! Também deixemos que Deus os julgue. Mas com certeza não se separaram por falta da graça de Deus, mas por causa das imprudências humanas que tomaram conta do coração de um ou de outro.

O casamento é uma bênção, e a família lugar sagrado em que habita Deus. Deus criou o homem para a mulher e a mulher para o homem e juntos participam e são responsáveis por cumprir a Palavra: "crescei e multiplicai-vos".

# PARA CONCLUIR

........................................

Há ótimas literaturas sobre o matrimônio. Preferi escrever fragmentos de uma vida a dois, tendo como exemplo experiências vividas por mim e por dezenas de amigos. Os nomes utilizados são fictícios, mas as histórias verdadeiras.

Na verdade, todo casamento tem tribulação, todo casal briga, mas o que mais me impressiona é ver a luta desses casais para se manterem juntos, fiéis às promessas do altar. Eles possuem a opção de se separar e partir para outra, mas não, como cristãos, insistem e persistem porque creem na força do sacramento e na graça que Deus dá àqueles que passam e tocam no altar no Senhor. Aqui está o mérito de cada casal: perseverar, permanecer, mesmo entre tribulações.

É óbvio que o caminho mais fácil é desistir, partir na ilusão de que com outra ou com outro será melhor. Mas, se a pessoa se casou com a intenção de fazer o outro feliz e de se santificar no matrimônio, então a primeira opção é perseverar. Todos os esforços devem ser empreendidos para "salvar" o primeiro casamento, aquele que foi realizado diante de Deus. E muitos erram nesse ponto. Descartam logo o primeiro e lutam para conservar o segundo, o terceiro ou o quarto casamento. E não conseguem porque já falharam no primeiro.

Sabemos que a vida a dois é um desafio, que cada casamento tem sua história e que as diversas possibilidades existem tanto para homem quanto para a mulher. Tudo depende das escolhas que fazemos. Se escolhermos perseverar, fiel será Deus em nos ajudar a cumprir o pacto feito no altar diante do sacerdote: nos dedos a aliança, no coração a fé.

# CANÇÃO DE UM MATRIMÔNIO

"O amor quis nos unir,

Num só coração.

Pra ser feliz por toda a vida,

Pra sempre o sim.

Se Deus nos abençoou,

Quem nos separará?

Se Deus é o puro amor,

Pra sempre eu vou te amar:

Do céu, do céu, vem a graça de Deus."

# ANEXO

## PROPOSTA DE RETIRO PARA CASAIS

### *Sexta-feira*

18h30: Chegar. Instalar-se. Cadastrar-se.

19h30: Sala de Palestras. Acolhimento. Louvor. Apresentação da proposta (objetivo) do retiro.

20h30: Jantar.

21h30:  Celebração penitencial. Breve palestra. *Tema 1:* **Perdão, expressão maior do amor**. Texto bíblico base: "Mais vale um bocado de pão seco, com a paz, do que uma casa cheia de carnes, com a discórdia" (Pr 17,1). Apoio: páginas 59 e 67 deste livro.

22h30:  Oração da noite. Descanso e repouso. Silêncio absoluto.

## *Sábado*

7h30:  Despertar. Café da manhã.

8h30:  Capela. Oração da manhã. Reflexão bíblica. Texto base: Salmo 112.

9h30:  Sala de Palestras: *Tema 2:* **Para sempre vou te amar**. Texto bíblico base: "Durante as noites, no meu leito, busquei aquele que meu coração ama... Encontrei aquele que meu coração ama" (Ct 3,1-4a). Apoio: páginas 11 a 17 deste livro.

10h30:  Intervalo. Cafezinho.

11h30:  Capela: Exposição do Santíssimo. Reflexão Bíblica. Texto base: Jo 15,1-2.9-11.

12h:  Almoço.

14h: Sala de Palestras. Louvor/oração. *Tema 3:* **Amar, perdoar, recomeçar**. Texto bíblico base: "As mulheres sejam submissas a seus maridos, como ao Senhor... Maridos, amai as vossas mulheres, como Cristo amou a Igreja e se entregou por ela..." (Ef 5,21-33). Apoio: páginas 19 a 27 deste livro.

15h: Deserto.

15h30: Partilha em grupo.

16h: Socialização da partilha.

17h: Banho.

18h: Capela. Oração do terço em comunidade.

18h30: Jantar.

19h30: Sessão pipoca. **Filme:** "Prova de Fogo".

21h30: Momento de oração de cura interior e de reconciliação e perdão entre os casais. Apoio: o Filme assistido anteriormente.

22h: Chazinho e bolachinhas.

22h30: Descanso e repouso. Silêncio absoluto.

# *Domingo*

7h30:   Despertar. Café da manhã.

8h30:   Capela. Oração da manhã. Reflexão Bíblica. Texto base: Salmo 120.

9h30:   Sala de Palestras: *Tema 4:* **Aliança no dedo e no coração**. Texto bíblico base: "... Por isso, o homem deixará seu pai e sua mãe e se unirá a sua mulher; e os dois formarão uma só carne..." (Mt 19,3-6). Apoio: páginas 35, 47,103 e 113 deste livro.

10h30: Intervalo. Cafezinho.

11h30: Capela: Exposição do Santíssimo. Reflexão bíblica. Texto base: Jo 3,1-8.

12h:   Almoço.

14h:   Capela: **Santa Missa de Encerramento**. Renovação das Promessas matrimoniais. *Tema 5:* **E os dois serão um**. Texto bíblico base: "O marido cumpra o seu dever para com a sua esposa e da mesma forma também a esposa o cumpra para com o marido..." (1Cor 7,3-4). Apoio: páginas 41, 43, 105 e 107 deste livro.

15h30: Despedidas.

# ÍNDICE

Para começar a conversa _____ 7

1. Basta o amor? Que amor? _____ 9

2. Por que todo casal briga? _____ 11

3. E quem disse que ciúme é sinônimo de amor? _____ 13

4. Amar, perdoar, recomeçar _____ 17

5. Três coisas que odeio nele _____ 19

6. Três coisas que odeio nela _____ 21

7. Ninguém muda ninguém _____ 23

8. Carinho é bom, mas é preciso dar espaço _____ 25

9. Dinheiro nunca é demais, mas... _____ 27

10. Sexo, sexo e... _____ 29

11. Uma aliança no dedo, outra no coração _____ 31

12. Quem educa quem? _____ 33

13. E os dois serão um _____ 35

14. Medindo forças _____ 37

15. Eu digo sim! _____ 39

16. Desafios e expectativas _____ 41

17. Brigas sempre teremos! _____ 43

18. A crise dos três, dos sete, dos nove anos _____ 45

19. Parceiros na alegria e na tristeza _____ 47

20. E não nos deixeis cair em tentação _____ 49

21. Juras de amor _____ 51

22. Abençoe, Senhor, minha família, amém! _____ 53

23. Cama... _____ 55

24. Mesa... _____ 57

25. TPM _____ 59

26. E a irritabilidade no homem? _____ 61

27. Os amigos de Luciano _____ 63

28. Pequenas coisas, grandes estragos _____ 67

29. Pacto de paz _____ 71

30. Só por hoje vou te amar _____ 75

31. Pai, dê-me carinho _____ 79

32. Mãe, confia em mim! _____ 81

33. Na saúde e na doença _____ 85

34. Coisas de mulher _____ 89

35. Coisas de homem _____ 91

36. Fica _____ 93

37. Festa de final de ano _____ 95

38. Traumas que me acompanham _____ 97

39. Ganhos e perdas, fracassos e sucessos _____ 99

40. O padre em nossa vida _____ 101

41. O poder das alianças _____ 103

42. O matrimônio é um ato santo e santificador ___ 105

43. Ser ou fazer feliz? _____ 107

44. E a família, como vai? _____ 109

Para concluir _____ 111

Canção de um matrimônio _____ 113

Anexo _____ 115